RATUS POCHE

COLLECTION DIRIGÉE PAR JEANINE ET JEAN GUION

En plus de l'histoire : ·
– des mots expliqués pour t'aider à lire,
– des dessins avec des questions
pour tester ta lecture.

• • • • • • • • • • • • •

© Hatier Paris 1993, ISSN 1259 4652, ISBN 2-218 05741-7

Drôle
de maîtresse

Une histoire d'Évelyne Reberg
illustrée par Arno

HATIER

LES PERSONNAGES
DE L'HISTOIRE

1

Au début de l'année, j'étais un veinard, j'avais madame Bégonia comme maîtresse. C'est la plus gentille de toutes les maîtresses du monde… Tous les matins, quand elle nous disait : « Bonjour les enfants ! Quoi de neuf ? » on parlait tous à la fois en levant le doigt.

Mais voilà qu'après les vacances de la Toussaint, patatras, un beau jour, on a vu une inscription sur la porte de la classe. On a pu lire :

Qu'arrive-t-il à madame Bégonia ?

« *Madame Bégonia, la maîtresse de CE2, vient de tomber malade. Ses élèves devront donc rester chez eux jusqu'à ce que l'on trouve un remplaçant. Nous tiendrons les parents informés.*

Le directeur »

J'ai été triste pendant au moins cinq minutes. Ensuite, je suis rentré à la maison et j'ai joué au camion et aux Schtroumpfs pendant quinze jours.

Le seizième jour, Papa et Maman sont devenus enragés, à force de me voir faire des marches arrière et des « vroum vroum ». Ils

ont décidé de se rendre à une manifestation avec tous les parents et tous les enfants de ma classe. On a défilé dans la rue en criant : « Nous voulons un maître ! Nous voulons un maître ! » C'était rigolo.

Et puis à la fin, l'inspecteur est venu nous annoncer :

— Je vous promets que dès demain vous aurez... euh... une... euh... quelqu'un... euh... une remplaçante.

C'était déjà moins rigolo. Le papa de Lazare a dit sévèrement :

— Ce sera une maîtresse qualifiée, j'espère ?

Lazare est le champion de ma classe toutes catégories.

— Euh… si… évidemment… non… oui… a dit l'inspecteur.

Et les parents sont rentrés chez eux rassurés.

2

Le lendemain, la remplaçante de madame Bégonia est entrée dans la classe.

Moi, j'ai tout de suite trouvé que c'était une drôle de maîtresse : elle avait la bouche en forme de pneu et son visage luisait comme celui de ma mémé Andrée quand elle se met de la crème de beauté. Je n'aurais pas aimé lui faire la bise. Ses yeux étaient enfoncés et elle avait beau sourire de ses milliers de dents, je me suis dit : « Mon pauvre Nanard, tu es mort. »

Oui, je m'appelle Léonard, mais on me surnomme « Nanard-le-froussard ».

C'est à cause de Benoît. Un jour, cet enragé a posé une araignée venimeuse en plastique sur ma table, alors je suis sorti en courant de la classe et personne n'a pu me faire rentrer : ni la maîtresse, qui me tirait, ni le directeur, qui criait. Cet idiot de Benoît, il avait trempé son araignée venimeuse dans la colle, il ne pouvait plus la détacher, même que ce jour-là, il s'est mis de la colle jusque dans les trous de nez. Bien fait !

Bon. Eh bien, le jour de la remplaçante, je n'étais pas le seul à avoir peur. Tous mes

2

Qu'est-ce qui a fait peur à « Nanard-le-froussard » ?

copains se sont tus. Même Benoît-casse-noix s'est ratatiné sur sa chaise comme un 3 vermisseau. 4

La maîtresse a fait l'appel pour nous connaître puis elle s'est présentée par ces mots :

— Je... m'appelle... miss... Cassolette.

Drôle de nom. Pourtant, personne n'a eu envie de rire.

Elle parlait lentement, miss Cassolette, comme si elle dormait tout haut. Ça nous impressionnait. 5

Elle a commencé par la leçon de calcul. C'était facile, mais facile ! Je connaissais toutes les réponses. Elle devait nous prendre pour des niquedouilles.

— 1 + 0 ?

Tout le monde a braillé :

— 1 !

— 1 + 1 ?

Les murs de la classe ont manqué s'effondrer :

— 2 !

3

Lazare était vexé, lui qui a deux ans **8**
d'avance, qui a un papa savant, et qui
connaît déjà les multiplications et les
divisions à dix-huit chiffres. Il fermait la
bouche, exprès. On ne voyait même plus ses
dents de hamster. Alors la maîtresse a braqué **9**
ses deux yeux sur lui et a demandé :

— 1 + 3 ?

Lazare serrait toujours ses lèvres à bloc, et
la maîtresse lui a répété :

— 1 + 3 ?

Qui est Lazare ?

Khalid, couché sur sa table, a soufflé derrière son bras :

— Un plus trois font pipi !

Toute la classe a fait :

— Oh !

Mais la maîtresse n'a rien dit.

Carole Mangin a dit, en rougissant très fort :

— Un plus trois font des petits !

Toute la classe a fait :

— Oh !

Mais la maîtresse ne s'est toujours pas mise en colère. De sa voix endormie, elle a dit :

— Pas du tout, les enfants. Vous avez tout faux. Répétez avec moi en comptant sur vos

Que fait miss Cassolette quand les enfants répondent des bêtises ?

doigts : un et trois font… quatre.

Elle croisait les bras et nous regardait comme si elle contemplait un pré plein de marguerites avec des vaches au milieu. Ma parole, elle était follette, cette miss Cassolette. **10**

— Et maintenant, a-t-elle annoncé, leçon de grammaire : nous allons conjuguer le verbe « bouger » au présent de l'indicatif.

Et la voilà qui bascule dans ses chaussures et qui fait de grands moulinets avec les bras en récitant :

— Je remue, tu gigotes, il pédale, nous galopons, vous cavalez et pouf !

Elle est tombée d'un coup sec sur sa

chaise, comme un gros sac de noix.

On ouvrait de ces yeux ! À côté de moi, Nicolas ressemblait à une grenouille gobant une mouche. Et puis tout à coup, Benoît a posé une question. C'était bien la première fois qu'il s'intéressait à une leçon.

— Et le verbe « manger » ? a-t-il demandé.

— Facile ! a dit la maîtresse : un peu d'attention, je vous prie. Croisez les bras et cessez de mâcher du chewing-gum.

On s'est regardés. Personne ne mâchait du chewing-gum. Bon. Voilà la maîtresse qui nous décline le verbe « manger » :

— Je broute, tu croûtes, il droute, nous

Trouve les deux conjugaisons
de miss Cassolette.

17 « Je remue, tu gigotes, il pédale,
nous galopons, vous cavalez
et pouf ! »

18 « Je croise les bras, tu cesses,
il chewingue, nous gommons,
vous chewingommez,
ils mâchent.»

19 « Je mange, tu manges,
il mange, nous mangeons,
vous mangez, ils mangent.»

20 « Je broute, tu croûtes,
il droute, nous froutons,
vous groutez, ils chroutent.»

24

froutons, vous groutez, ils chroutent.

Cette fois, il y a eu un long, long, long silence. On aurait pu croire que toute la classe avait été envoûtée. Alors Bérengère a levé le doigt pour poser une question. D'habitude, elle est culottée, Bérengère. C'est elle la première au cross, de toute l'école. Mais là, elle parlait d'une toute petite voix qui s'étranglait : 13

— Maîtresse, est-ce que je peux me lever deux minutes ? Je voudrais juste aller jeter un papier à la poubelle.

— Tu queux, a dit la maîtresse, avec une inquiétante grosse voix d'homme.

Un grand frisson a parcouru la classe.

La poubelle se trouvait tout contre le mur, sous le tableau, derrière miss Cassolette. Tout le monde regardait Bérengère, sauf la maîtresse, qui restait immobile, comme une horloge, à nous fixer de ses petits yeux bizarres. Arrivée à la poubelle, Bérengère s'est approchée lentement de miss Cassolette, elle s'est glissée jusque derrière sa chaise, comme une cambrioleuse, et soudain, elle a poussé un cri étouffé :

— Mon Dieu ! Ho ho ! C'est bien ce que je pensais... Ce n'est pas une... une... c'est... un... un...

4

Mes copains se sont précipités, alors j'ai
fait pareil. On a découvert plusieurs plaques
métalliques dans le dos de la maîtresse, avec 14
de minuscules inscriptions comme CALCUL, 15
LECTURE, ÉCRITURE, RÉVISION, PROGRESSION, 16
CE1, CE2, etc., ainsi que des mots en japonais
que personne ne comprenait.

Miss Cassolette n'était pas une maîtresse.
Ça alors… pas du tout ! On aurait dû le
deviner ! C'était un robot !

Je me suis bouché les oreilles et j'ai crié :

Quel est le dos de miss Cassolette ?

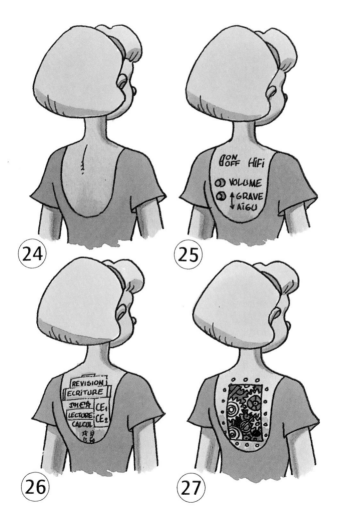

— Maman, j'ai peur !

Bérengère a murmuré :

— Si on la démontait ?

J'ai dit :

— Tu es folle ?

Les copains se bousculaient :

— J'appuie sur le bouton ? Non ! Si !
Laisse ! Vas-y !

Emmeline, qui est la plus petite de la
classe, s'est glissée entre nous tous, elle a
touché quelque chose du bout du doigt et
tout à coup la... la... machine s'est mise à
brailler :

« Cane caneton,

Canot cannibale,

Cane caneton,

Le gros cornichon… »

On a reculé les uns sur les autres et Bérengère m'a écrasé tous les orteils. Heureusement, le robot a fini par se taire. Lazare nous a déclaré :

— C'est une machine extrêmement perfectionnée. Croyez-moi, je m'y connais en robots. Mon père en a au moins cinq. Elle est juste un peu détraquée. Attendez, je vais vous la régler et vous aurez une vraie bonne leçon de calcul.

Quand Emmeline a appuyé sur le bouton, que s'est-il passé ?

Il s'est mis à quatre pattes pour étudier le robot puis il a légèrement tourné deux tout petits boutons. Il s'est redressé et a dit avec assurance :

— Retournez à vos places et écoutez.

On n'avait pas tellement envie d'une leçon de calcul, mais personne n'a eu l'idée de protester. On était trop impressionnés.

Lazare avait dû mélanger le programme de calcul avec le programme de chanson et je ne sais quoi, parce que le robot s'est mis à chanter :

— Il était un petit triangle… qui n'avait ja-ja-jamais navigué… Ohé… ohé…

fromages mous… Taisez-vous, taisez-vous, taisez-vous ! Il était une fois un rond et un carré : ils vécurent heureux et eurent beaucoup de petits bidules à trois côtés. Dormez-vous ? Dormez-vous ? Sonnez les mathématines ! Ding ding dong ! Il était un petit navire qui naviguait sur l'addition. Ohé ohé matelot ! Le carré navigue sur les zéros ! J'espère que vous comprenez, chers poissons tout ronds ?

19

Lazare s'est mordu les doigts en gémissant :

20

— Aglaglagla… qu'est-ce que j'ai fait ?

La machine parlait de plus en plus vite et

Quelle leçon Lazare voulait-il programmer ?
31 GRAMMAIRE
32 CALCUL
33 DICTÉE

s'était mise à mélanger les mots : on a entendu des « cornioupouais », des « balgabru », des « alcucu » et des « chroutt… chroutt… ». Moi, je faisais : « Mamma mia ! » Et puis après…

Khalid a hurlé :

— Tous par terre !

Le robot tremblait, ses yeux s'étaient allumés comme deux petits phares et il criait à tue-tête :

— Dollar !... épinards !... pétard !... homard !

Il avait pris une voix de klaxon... C'était affreux. Nous nous sommes aplatis sur le ventre dans les allées de la classe comme si la guerre atomique venait d'éclater. Je me disais :

— C'est la fin du monde ! Ce truc va exploser, il va fumer, il va mettre le feu aux rideaux ! Il va nous couper en petits morceaux ! Il faudrait appeler les pompiers !

Et puis soudain la porte s'est ouverte et madame Bégonia est apparue, dans sa magnifique robe à fleurs. Elle a crié :

— Qu'est-ce que c'est que ces manières ? Vous vous prenez pour des vers de terre ?

Elle a regardé miss Cassolette d'un air sévère et s'est encore exclamée :

— Hélas, les robots maîtresses ne sont pas encore au point, à ce que je vois.

Qui arrive en classe ?

Heureusement que je suis revenue plus tôt que prévu.

Elle est allée derrière Cassolette et couic, d'un geste, elle l'a arrêtée. Le robot s'est tenu tout raide, comme une pompe à essence.

On s'est mis à crier tous en même temps. On criait même si fort que madame Bégonia nous a grondés. Elle a menacé de nous faire copier cent fois : « Je ne dois pas crier comme un fou » (pour les garçons) et « je ne dois pas crier comme une folle » (pour les filles).

Eh bien, croyez-moi si vous le voulez,

Qui va regretter miss Cassolette ?

41

mais ça m'a fait plaisir d'être grondé, j'avais même envie d'être puni. Au moins, c'était une vraie maîtresse, celle–là. Ouf ! Seul Benoît boudait. Il était tout seul dans son coin et je l'ai entendu soupirer :

— Cette miss Cassolette, moi, je l'aimais bien. Une maîtresse qui fait des leçons de chanson-calcul et qui danse en récitant les verbes, ça, vraiment, jamais, non, jamais je ne l'oublierai...

1
qualifiée
Qui a réussi les examens
nécessaires pour faire un
métier.

2
venimeux
Qui contient du venin.

3
se ratatiner
Benoît se tasse, il se fait
tout petit sur sa chaise.

4
un **vermisseau**
Un petit ver.

5
impressionner
La voix de miss Cassolette
étonne les enfants et
ils n'osent pas bouger.

6
des **niquedouilles**
Des nigauds, des enfants
bêtes.

7
brailler
Crier fort, de façon ridicule.

8
vexé
Lazare n'est
pas content. Il croit que la
maîtresse le prend pour
un bébé, parce qu'elle pose
des questions très faciles.

9
un **hamster**

braquer
Diriger, pointer.

10
follette
Un peu folle.

11
gobant
Avalant.

12
décliner un verbe
Conjuguer un verbe à toutes
les personnes.

13
envoûtée
La classe est ensorcelée,
comme sous l'effet de
la magie.

14
métallique
En métal (en fer,
en cuivre…)

15
minuscules inscriptions
Mots écrits tout petits.

16
une **progression**
C'est une suite de leçons de
plus en plus difficiles.

17
cannibale
Sauvage et qui mange les
hommes.

18
protester
Dire qu'on n'est
pas d'accord.

19
mathématines
Mot inventé avec
mathématiques et *matines*
(très tôt le matin).

20
en **gémissant**
En se plaignant.

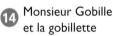

Tu es un super-lecteur
si tu as trouvé ces 13 bonnes réponses.

36, 39.

22, 26, 28, 32

3, 6, 8, 13, 15, 17, 20

Maquette Jean Yves Grall, mise en page Joseph Dorly

Imprimé en France par Pollina, 85400 Luçon - n° 71361 - A
Dépôt légal n° 15788 - Janvier 1997